Max s

BANZAï

*L'auteur remercie
le Docteur Jacques Fortin,
conseiller auprès du recteur de Lille,
pour sa collaboration.*

Série dirigée par Dominique de Saint Mars

Ainsi va la vie

Max se bagarre

Dominique de Saint Mars

Serge Bloch

CALLIGRAM
CHRISTIAN GALLIMARD

9

13

Quelque chose ne va pas, Max ?

Il s'est battu avec ses copains...

C'est même pas vrai... Tu veux que je te...

Tu ne sais que taper ! Apprends à parler !

Oui, Max ! Arrête ! Pourquoi es-tu violent comme ça ?

14

15

Jérôme, ça suffit maintenant !

T'as compris ?

PAF

Tu me le paieras !

Tu me feras des verbes !

C'est pas juste !

22

24

25

28

LE SOIR, MAX DORT MAL...

ABANDONNÉ !
AAAAH... !

30

ET LE LENDEMAIN...

Mais tu pars en avance ce matin... !

Euh, non, je suis en retard...

Euh... Je t'ai apporté... pardon, ... euh, non... je te demande mes billes, ... non...

je te demande pardon...

MAX ARRIVE DEVANT LA MAISON DE JÉRÔME...

33

Et toi...

Est-ce qu'il t'est arrivé la même histoire qu'à Max ?

Si tu n'aimes pas la violence...

Souffres-tu de la violence des mots, des menaces, des coups ? A la maison, à l'école, dans la rue ?

Eprouves-tu du plaisir à vaincre ta violence ou celle des autres, par ton calme, tes paroles, ton humour ?

Supportes-tu les attaques ou les moqueries car tu as confiance en toi ou que tu es calme comme tes parents.

Est-il facile pour toi de reconnaître la simple bagarre, pour jouer, de la vraie violence qui fait souffrir ?

Comment te défends-tu ? Tout seul ? En te groupant ? En en parlant à des plus grands pour te faire aider ?

Connais-tu des enfants avec qui on est violent ? As-tu pris leur défense ? En as-tu parlé ?

Est-ce parce qu'on a été violent avec toi, dans ta famille ou à l'école ? ou qu'on t'a rejeté, insulté ?

As-tu du mal à te faire aimer, à dire ce que tu ressens ? Envies-tu ceux qui se font respecter sans s'énerver ?

Crois-tu que la violence sert à obtenir ce que tu veux ? A paraître plus fort ? ou bien que ça rend seul et triste ?

SI TU ES PARFOIS VIOLENT...

Penses-tu que la violence des adultes, de l'actualité et de certains films, donne envie aux enfants d'être violents ?

Sais-tu que la violence est interdite par la loi, faite pour protéger les plus faibles et bien vivre ensemble ?

As-tu des solutions pour lutter contre la violence : en parler en famille, à l'école ? Faire du sport ? Ou ?

**Après avoir réfléchi
à ces questions
sur la violence,
tu peux en parler
avec tes parents ou tes amis.**